CRÉ AGUS CLÁIRSEACH

Tomás Mac Síomóin

SÁIRSÉAL · Ó MARCAIGH
Baile Átha Cliath

Cré agus Cláirseach

Crua: ISBN 0 86289 008 X
Bog: ISBN 0 86289 003 9

Grianghraf: Mike Bunn
Dearadh: Caoimhín Ó Marcaigh
Arna chlóbhualadh in Éirinn ag John Augustine Teo

Sáirséal · Ó Marcaigh,
13, Bóthar Chríoch Mhór, Baile Átha Cliath 11.

Clár

NÍL IN AON FHEAR ACH A FHOCAL

Seanfhocal

Is mé ar mo mharana ag faire,
Leabhar Uí Chriomhthainn im láimh,
Ar rince Mhanannáin ilsúiligh
Um chríocha an oileáin—

Tír ghorm ghainéad is ghuairdeall
Go faillte Uíbh Ráthaigh ag síneadh
Is An Cnoc Mór mar chloch chinn
Ar phaidrín mo bhalla críche . . .

'A nae seisean nochtóidh nóiméad ar bith'
Bhí an Tomás seo ag machnamh,
'Is fillfidh an Tomás eile aneas
Ar a róda goirte ón gCathair.'

Ach má gháireann cuan faoi aoibh na gréine,
Ceann Sreatha is Binn Dhiarmada,
Tá fothrach sramach taobh thíos ag feo
Is níl gáir i gcoileach na muintire;

Tá Tost ina Rí ar gach maoileann abhus
Is tá ceol na ndaoine go follas ar iarraidh;
An gadaí gan ghéim, nár fhan, mo léan,
Ina pholl taobh thiar den Tiaracht,

A réab gan taise thar chuan isteach,
A shealbhaigh gort an bhaile seo,
A strap anuas trí shúil gach dín
Gur shuigh isteach cois teallaigh . . .

Tá sé ag fuireach abhus ó shin;
Chím a scáth faoi scáth gach balla,
Is an chloch á baint ón gcloch aige,
An fhuaim ó gach macalla . . .

Ach má taoi ag déanamh cré sa chill,
A Chriomhthannaigh an oileáin,
Gad do ghinealaigh fós níor bhris
Ó chuiris cor id dhán,

Ó d'íocais deachú an fhocail led nós,
Ó bhreacais caint do dhaoine ar phár,
Strapann do nae fós fál na toinne
Idir Muir na mBeo is Muir na Scál . . .

Tá mise fós ar mo mharana ag faire
Is ó bhuanaigh do dhán a ndáil
Tá sluaite na marbh ag siúl go socair
Ar bhealaí an oileáin.

Is cluintear gáire mná le gaoth
Ag bearnú thost an bháis
Is cluintear gáir an choiligh arís
Ag baint macallaí as an ard.

AR LEATHMHÁS GAN

do Chaitlín
i ndilchuimhne is in ómós

Estragon: Well, shall we go?
Vladimir: Yes, let's go.
(They do not move)

S. Beckett: WAITING FOR GODOT

AR LEATHMHÁS GAN

cé tá ina luí anseo idir dall agus dorchadas aduirse
corp i gcónra gliomach in ábhach fear gaimbín i siopa
faolchú i bpoll folaigh naí i mbroinn

agus tá súil ag an diúlach le freagra

mise nílim an buansaolach gan dóchas gan ghrá a
deir guth nár saolaíodh nach saolófar

agus ní chloiseann sé tada

mise tost is rosc gan solas bruth fá thír raic chianda
smionagair i bpoll anchruth seithí aduirse a shrac
beithígh allta na coille díobh fadó fadó sa
gcamhaoir mínchlocha cruinne rudaí marbha
liabóga abair giotaí d'fháslach na mara aolchnámha
glanchrinnte pabhsaetha an chéadghleanna
méarshnáth an daill idir dubh agus dubh croí an
anfa an t-anfa dearmadta iad siúd agus tuilleadh mise
nílim aduirse

ach ní chloiseann sé tada

mise nílim na n-iomad riocht aduirse gach
miondúiseacht cruth is trup

a dhath ar bith ní chloiseann hiúdaí hiúdaí hiúdaí
an somachán sollúnta giolla iompar na cloiche nár
leath a gháire air riamh chuile cheist leoga
dheamhan freagra dheamhan fhios

déarfaidh mé libh a ghasra adeir hiúdaí hiúdaí
hiúdaí céard atá le déanamh bhfeiceann sibh an
éibhearchloch úd thall bhal gabh thusa anseo tusa
ansiúd gabh i leith thusa cabhraigí liom beirigí
greim uirthi sin an chaoi anois ardaigí í ardaigí í
stop adeirim stop cuirigí bhur nguaillí isteach fúithi

anois cúl ris an machaire aghaidh ar an gcnoc fill fill a rúin ó is ar aghaidh go réidh linn go réidh socair a ghasra socair a deirim clé deas clé deas clé deas clé deas clé deas clé

deas agus scaoileann hiúdaí hiúdaí hiúdaí a théad tíre snámhann go héadrom trén aer cré ní léir rosc nílim sa láib ní léir dó neamhthuig seachas tuig marbhfháisc ar an ngliogaire gabhalscartha fa rá's gur fa rá's nár fa rá ó ná bac lúb éicint ar lár ar thóir a shealbha ar thóin a shealbha ar thóir a thóna ar thóin a thóra ar thóin a thóna iomalartú agus babhtáil parúsam praedilí an t-aon chraic uch másaí méithe hiúdaí hiúdaí hiúdaí scaradh gabhail ar ghuaillí nílim nach léir dó ag brú an tseanóra a bhuanghuth a fhaonghuth isteach sa gcré boladh nach feasach do hiúdaí hiúdaí hiúdaí poll nach feasach do hiúdaí hiúdaí hiúdaí a dhath ar bith fá dtaobh dó nó nílim go fóill na billiúin bliain óna gheailicsí feola eadhon leithead a chraicinn ar éigean den chuid is mó de ón gcré ó nílim

púicín na gileachta a ghasra púicín na nithiúlachta luiteach go dlúth lena dhá rosc ionas nach léir faic scannán briosc tana dá gcosc ón gclábar céadra gan chruth gan chuma gan dubh gan dath fuacht agus dorchacht duibheagán duifean achan rud a dhíth díth a dhíth rachmas díth braithstint agus ball acraí na gcéadfaí ar lár níl ann ach a bhfuil ann cogito

ergo nílim faoi hiúdaíriocht ergo cogito vielleicht ergo boladh ar aon nós boladh bhaineas i gcónaí le geamaireacht hiúdaí hiúdaí hiúdaí miondúiseacht pearsanú áiféiseach eile ar nílim feoil cnámha putóga matáin féitheoga sceadamán caincín polláirí teanga imleacán súil cluas puntán ioscadaí ascallaí páraic ó raifeartaigh chuile chleas níos amaidí ná a chéile tranglam á iompar go neamhnáireach fud chríocha fódhla corrsmeathaimhín cumhrachta ag éalú feo vagitus feo

tromosna an doirthe feo feo feo glothargháir an
éaga feo feo feo feo

ara feo feo go deo thú a deir hiúdaí hiúdaí hiúdaí
bleaist eile filíochta a bhfuil na táinte mearaithe aici
ag an mbrilléis a dheabhail teara uait teara uait tá
obair le déanamh a deirim machaire ar ár gcúl an
t-ard os ár gcomhair obair a deirim tearmann
beannaithe an dualgais a ghasra ar aghaidh go
socair ná breathnaigí ar clé ar dheis ó thuaidh ó
dheas soir nó siar ar ghealach nó ar ghrian ar fhear
nó ar bhean go socair a deirim seachain farragán is
aill fainic spící splincí creigeanna feamainn port
raithneach is trá ar aghaidh a deirim geallaim na
hoirc is na hairc dea-ghealladh droch-
chomhlíonadh is beidh aonach amárach

cinntíonn nílim go bhfuil boladh ann dearbhaíonn
nílim go bhfuil boladh ann deireann nílim dá
mbeadh guth ag nílim feo níl fhios ag nílim dá
mbeadh fhios ag nílim céard atá ann muran boladh
nár mhiste fiafraí cé acu bhí ann ar dtús sular
ghluais an focal ar na huiscí an boladh nó nílim nó
an nílim an boladh féin ag buanéalú tré pholl a
thóna féin buanteacht buanimeacht díchruthú
athchruthú dlíthe na teirmidinimice sáraithe d'aon
amhóg bolzmann carnot agus an chosmhuintir i
bhfad taobh thiar dínn ag streachailt feadh a gcumais
amhóg éachtmhar buanbhraimseáil sa duibheagán
poll tóna nílim i lár na n-uile nó ar mhothaigh tú a
hiúdaí hiúdaí hiúdaí dubh nó dath ar an ngeoladh

gaoithe úd a bhfuil cíbleach an chnoic ag umhlú go
caoin dá phort sea mais braimseáil an bhunchiall

níl taithí na síoraíochta amú ar nílim arae ní hé an
corrshéideadh thall agus abhus a chleachtaíonn an
t-oirmhinneach ná an deabhal é braimseáil agus
braimseáil ann a deir nílim go sollúnta dá mbeadh

guth i bhfianaise ó fágaimis an cac stálaithe sin i
leataobh gur leagan amach sáreagraithe
sárealaíonta atá ar lúthchlaisíocht nílim fágaim le
huacht í go n-éiríonn mo chroíse mar éiríos an
ghaoth croch suas é an chlaisbhéic gharbh
laochmhar an chlaismhonabhar leamhleoithniúil
leithscéalach an tufóg chiúin mharfach mo ghuaillí
bochta a deir nílim sárcheirdiúlacht saineolas an
aonaráin aduirse ó

mo ghuaillí bochta aduirse an bastard sin réidh an
achair ba dheas aduirse éibhearchloch agus másaí i
dteannta a chéile ag brú brú brú anuas martraithe
acu aduirse sula ndéarfaidh mé tada aduirse ba
mhaith liom admhachtáil os comhair an
chomhluadair léannta seo go bhfuilim féin mo
bhean mo shinsear mo shliocht agus mo phocán
gabhair rumpelstiltzkin yclept lúidín ó laoi atuirse
faoi chomaoin mhór ag na bádóirí zeitschrifteacha
seo leanas paine grunntt agus bugaroff
sárthaighdeoirí fir mhéaracán mná seoighe údair
seacht ngaoithe an choirp a dtábhacht agus a
dtionchar i réamhstair na hastráile tráchtas
luachmhar sa teanga laidine nár chóir do ghaeil
bheith dá huireasa do bheir leide dom aduirse an
mbeadh feaig agat dona go leor a bhádóir bheith

gan cnámh droma gan alt droma gan snaidhm
dhroma gan smior chailleach gan ghimide gan
chaoldroim gan ghorún gan duán gan chorróg gan
gas nasctha gan cnámh leise gan leasracha gan
cheathrúna gan sliasaid gan ghlúin gan lorga gan
caipín glúine gan rúitín gan trácht gan cholpa gan
ioscaid gan seir gan sáil gan speir gan spreangaide
gan bhonn gan ordóg gan lúidín gan dochar gan
dóchas gan anam gan

urlabhra ar mo tháirim atuirse ag breacadh bréaga
berkeleyeacha ar theiscinn láibe trup imeartha anseo

trup imeartha ansiúd ó an trup céanna a luaigh
somarscheiz schmerz agus rozarko sa gcomhthionól
i bploesti macalla folamh aimrid an hiúdaíghleo ag
bodhradh nílim ó thús ama dá mbeadh cluasa níl

gar a shéanadh sú ar an bhfeaig an fuacht an tais
dubh le pic craidhps nílim géar ina chall dá mbeadh
béal scamhóga seachas gan gan gan

nod ceist céard a bhí le hithe ag nílim roimh
theacht isteach dó sna seanlaetha órga réamh-
hiúdaíocha fadó nach raibh freagra seacht lán loch
éirne de leann seacht n-airde chorrán tuathail de
mhistkase seacht dtoirt sliabh gcrot de phíseanna
beannaithe bainfear seal eile as an mboladh seo is
cosúil

buaileann croí nílim go mall faon níos moille ná
ollchroí na coitiantachta is moille faonbhualadh
imigéiniúil uair sna naoi n-aird de thaisme abair dá
mbeadh lámha ar uaireadóir nílim dá mbeadh
uaireadóir ag nílim murach duifean an phoill seo
murach daille bodhaire bailbhe olléagumas
d'fhéadfaí tuairisc a bheadh i bhfad éireann d'eile
níos

slachtmhaire beaichte léitheoireacht éasca
thaitneamhach gan dua mórscríbhneoireacht ná
cuireadh muid fiacail ann a chur go béasach faoi do
bhráid a léitheoir dhil má tá tú teanntaithe linn i
gcónaí sa bpoll seo mise is túisce d'aontódh leat
airgead maith é i laetha seo an anró ar thruflais den
chineál seo do chreach is do chás nach bhfuil nílim
imithe

siar ar bhóithre na smaointe sean-nílim ar a
chamachuarta i measc laetha órga litríocht na
teanga sinseartha na sagairt is na bráithre is iad ag
triall ar mo bhainis sárscéalaithe a chum is a cheap
bhal scéalta agus jaysus ar a laghad ar bith

eachtraíocht a ba chúis bhal ardmheanman duit
gach leagan amach úr déchosach dóchasach di ar
ghleann iomráiteach fámairefhoirgthe seo na ndeor a
mhaolaigh ar léithe ár ngall-laetha in urbe de
bheagán a nochtaigh meangadh gréine taobh thiar
de néalta dúneascóideacha an éadóchais a
chumdaigh maoile agus gairbhe gleann' is má
púcaí poitín sagart mac pháidín saol iasc is aiteann
an stiléara chraiceáilte le corcairbhrat

na háilleachta treabh leat a bhádóir faoi na fabhraí
dóibh é agus a ghasra fair play like nuair a scartar
hiúdaí hiúdaí hiúdaí agus a phingineacha
daorcheannaithe beag a choinne le boladh sea
boladh a fhleascach deas nam blàthshùil boladh lofa
boladh nílim crú in bhur dtosach a ghasra
aníosaigí m'anam go bhfuil mé ag ceapadh go
n-éireoidh linn den gheábh seo dar íosta príosta
aníosaigí socair a deirim socair socair agus má
fheicim lorg ordóg ar bith feaig ag éinne ceistmharc
nó cheal nach bhfaigheann sibh an boladh hea a
kherry n'fheadar mé ambaist ab ea

bhal dá mbeadh lámha ar uaireadóir nílim ba ba ba
ba shaoráideach nár laga dia thú a kherry sos a
ghasra cupán tae cúpla meandar ar a mhéad
ciúinscálaí fionnuara an dorchadais á gcairiú thar
chnoc is muin nílim ar lean deabhlaí go deo an rud
é mo laetha cré bheith á roinnt ag giolc garbh
mo thóna aduirse ardaigí suas é a ghasra scaipimis
ár leigheas ar leadrán croch suas é ag giolc garbh
mo thóna go maith go maith go maith chuala an
bastard salach an ceann sin mise i mbannaí eaaaaaa
anois a bhráithre rí-ionúine rí-oiniúnda guímis

ní á roinnt linn é slán a bheas muid bail ó dhia
orainn slán an tsamhail nílim ar lean ní aon
leathchuid atá á dhéanamh againn dár ndícheall

cothrom na féinne mar a deir lucht an bhéarla
síoraíocht ar ár gcúl síoraíocht os ar gcomhair
filíocht scéalaíocht fiche cineál miondúiseachta
hiúdaíchraic íomhánaíocht faoneiteallach sa
bpuiteach gan sos gan staonadh mar a bhí mar a
bheas le saol na saol dá mbeadh dá mba hiúdaí
hiúdaí hiúdaí lámha agus eile houris na hafraice
deasóg i mbun saothair faoi na pluideanna mo
shamhlaoidí ag crú mise ar an ngannchuid ara
múchadh is bá ar an dubh seo dheamhan bod
deamhan puite dheamhan tada do gach bó

a lao do gach tóin a braim coinn' ort coinn' ort a
dheabhail tá sé seo go maith tá boladh san áit seo
agus is féidir gur braim é cuirigí bailchríoch ar mo
shiollóg bhal anois mar a déarfá 'dtuigeann tú bhal
b'fhéidir agus ní móide ba chríonna an té a
déarfadh ní den chríonnacht an chinnteacht nó den
chinnteacht an chríonnacht cheal trealamh
costasach nach mbeidh teacht orthu go deo sna
bólaí seo agus rudaí eile nach mbeadh sé taobh
istigh de mo théarmaí tagartha a lua ag an am seo
bheadh sé sub judice faic a rá ní áirím breith a
thabhairt tá fochoiste den bhfochoiste le bheith
bunaithe dualgas cluas a choinneáil le talamh gach
mionrud mór gach mór-rud mion mionrud mion is
mór-rud mór taobh istigh de théarmaí tagartha an
fhochoiste réamhluaite agus na forálacha iomchuí a
thaifeadadh mar is cuí tuairisceofar a n-imeachtaí
in am tráth le cúnamh dé agus caoinchead an
stiúrthóra mura mbí sé ag a lón ar saoire nó sa
mbruiséal agus beidh an freagra an freagra
sainmhíníoch clabhsúrbhuailteach sealadach gach
ceart ar cosnamh faoi iamh ach clúdach
breacaithe le stampa agus seoladh a chur chuig áit a
fhógrófar nuair a bheas an foirgneamh tógtha agus
tofa seachas gur gá slumanna seoirseacha a leagan

ar dtús ceardchumainn a shásamh faoi
choinníollacha na n-oibrithe má bhíonn teacht ar a
leithéidí abair tuigeann tú na deacrachtaí uch an
boladh

teannaigí i leith a ghasra greamaithe sa gclais arís
anois cúramach cúramach ardaigí é oiread na fríde
oiread na sin é é díreach múchadh is bá air cé bhí ag
ól tá cuid agaibh ar meisce mura bhfuil ag dia bhal
ar a laghad ar bith múchfaidh boladh an phórtair an
boladh eile haidh coiscéim chun tosaigh agus péire
ar gcúl agaibh é ardaigí píosa eile í a deirim
cúramach cúramach ní bhainfear an mullach
amach go lá an luain ar an gcaoi seo scaoilteog na
hoíche ag titim ar an gcnoc mallaithe seo cheana
féin clé deas clé deas clé deas clé deas clé deas ach

boladh ceistmharc ea boladh an tseanchulaith údan
a tháinig anall le nílim ar a sheársa thar mhánna
modartha sínte idir é agus laetha hiúdaí hiúdaí
hiúdaí nár bheannaigh slán riamh lena chraiceann
mar a déarfá ó maidin go faoithin go maidin go
faoithin go maidin go faoithin go maidin go
faoithin go maidin go

nod agus eadarlúid fosta don aineolach a scar
chomh réidh sin lena phingineacha barúil mheáite
léannta nutting nadaguki garnisht nietsov agus fu
wak faoi do bhráid eadhon gur féidir eachtra bheag
leadránach a shnoí as an scéal fada leadránach seo
le trealamh atá simplí neamhchostasach chomh
fairsing le huisce na díge mar atá análú beag
bídeach amháin agus beirt scread sin uile

an t-aicearra nó an feall   miondráma

an t-am   anois

suíomh mar a bhfuil tú cuma d'ócáid bheith
príobháideach nó a mhalairt

dramatis personae
hiúdaí hiúdaí hiúdaí faoi do riocht féin
nó tusa faoi riocht hiúdaí hiúdaí hiúdaí
mar a chéile iad nílim leide don
léiritheoir ná bac le nílim beidh sé ann
do do mhíle buíochas ar aon nós

treoir a haon scread a haon aithris ar chat á thachtadh
treoir a dó scread a dó aithris ort féin á thachtadh
treoir a trí análú mar is dual duit

'nois a ghasra a haon a dó a trí

scread 3 soicind
análú isteach 4 soicind
análú amach 4 soicind
scread go mbíonn na scamhóga folamh

aon léiriú amháin ceadaithe chuige sin modh na
réadúlachta nach bhfuil a shárú ionat ar scor ar bith
róipín caol cnáibe más gá is mian leis an údar a chur
in iúl um an dtaca seo go dtig leis an frapa
saoráideach dia go deo leat 'kherry seo a sholáthar
ach clúdach le seoladh agus stampa maille le giní
buí breac dubh bán nó riabhach a sheoladh chuige
gealltar sástacht

gné zehr interessant is ea an t-análú ar ndóigh a
léitheoir má tá tú fós linn osna chaointeach an duine
dhoilíosaigh cnead aos sollúntachta agus tine
shionnaigh ag teitheadh rompu bob buailte frapa
leagtha dar le pirovotschika pirovotschika agus
pirovotschika cuirfidh tú do dhath féin ar bhraim
nílim
críoch eadarlúide

feo

faoithin go maidin go foighid foighid hea ceistmharc
fíor duit é a thaisce géillfead mar aguisín deir nílim
nach dtig liom baslach ar bith an dá laghad é a
chuimilt le mo bhal chorp mar a déarfá géillim sin
géillim sin aduirse agus cén dochar 'chaoi nach
mbreathnaím ródhathúil a deir tú aduirse agus
tuige 'mbíonn tú ag iarraidh teanntás a dhéanamh
liom de shíor agus ná séan é a bhrogúis a deir sé
deir daoine agus iad ag téarnamh im dháil nach
iontach go deo an buí gréine lóiseanlaetha lacht na
gréine scalltaí ag titim mar órchith ar chladaí
meánmhara atá ar an seanbhuachaill roicneach úd
atá chugainn go seoltar aduirse mo chumhracht
phearsanta thar mo chrioslach go neadaíonn ina
bpolláirí ansin aduirse tosaíonn an chraic an
t-iompú snó an tiontú lí an t-uafás seo leoga atuirse
buí an tsalachair buí mo mhorgbhréantais an
tachtadh an plúchadh allagar stylites lofa
scannalach a ligean siúd i measc chuid an fhiúntais
gardaí dochar contúirt sláinte phoiblí galar tógálach
éigeandáil frídí chuala faoi fhear sa bhfrainc frídí na
mílte na milliúin curtha ó rath rite reatha paidir cá
raibh mé cá bhfuil mé focal sea focla breast orthu
ag seoladh focla im threo aduirse mé scoite amach
sáinnithe acu im hiúdaíriocht ar sceirdchnoc i bhfad
ó bhaile cacsciorradh pór dlisteanach focla a chaith
hiúdaí hiúdaí hiúdaí i dtoll a chéile bailbhe nó
vanitas vanitatis céastúnaigh deora goirte na
hurchair ag eitilt sea mais focla

hiúdaí hiúdaí hiúdaí ar lean feo a ghasra boladh a
dhul i ndonacht mise i mbannaí deifir adeirim
deifrigí go beo cúramach oiread na fríde ar clé ar
aghaidh ar aghaidh naipcín póca fliuch as ucht dé
braim os cúramach a deirim ní gheofá clúdach den
chineál sin ar ardú ort é

nílim ina shleasluí ar leathmhás leis le síoraíocht

anall ag portaireacht i gcead duit

dia á réiteach giorranálach clabhsúr dlaoi mhullaigh
anuasaigí léi a ghasra pionta an duine samhlaigí
gealchúr ag stealladh thar ghunail lacht na bó
duibhe don uile mhac máthar anuas a deirim tóg go
bog é anois anuas anuas tá sé sa gcró agaibh geall
leis aimsigí ceart é oiread na fríde chun tosaigh
stop a bhuí le
an bhulgóid seo ag deifriú aníos geall le cloch í
dheamhan ceist dheamhan freagra aníos go
deifreach díocasach pianmhar cuireann sceadamán
hiúdaí hiúdaí hiúdaí de de léim doshlogtha
dochosctha pléascann idir a fhiacla

claisphléasc

siabtar an chloch den chró de gheitphreab
mionvesuvius boladh ruibhe agus eile agus slán an
tsamhail béal hiúdaí hiúdaí hiúdaí ag leathnú dia á
réiteach a bheola ag leathnú meangadh nár tharla
riamh cheana réiteach agus roicní nár triaileadh
roicní úra á dtreabhadh ag cúinní a bhéil chairithe
an modhlaer ag cur farragán is aill di de thruslóga
fathaigh gach tóinsuí augenblikiúil di ag dúiseacht
toirní na mbeann hiúdaí hiúdaí hiúdaí sna trithí
dubha aonarán geilt sna lagracha uiscí spleodracha a
chinn á sileadh ar mhullach maol an chnoic

go ndearna an charraig cónaí faoi dheireadh i dtom
aitinne ag bun an chnoic clabhsúr agus tost na
mbeann dorcha

tuig seachas neamhthuig

m'anam go raibh tú píosa ag teacht anuas den
gheábh seo a hiúdaí hiúdaí hiúdaí aon scéal

dheamhan scéal agus gach scéal sin mullach nach

dual dlaoi dó cuirim i gcás

tuige a hiúdaí hiúdaí hiúdaí

rud a tharla thuas a ghasra

cén sórt rud

níl cíos ar fhocla a ghasra teara uait teara uait
deifrigí go beo dalladh le déanamh cúl ris an
machaire aghaidh ar an gcnoc

gan

an litir C

'marsin is coir damhsa & do mo leid eile amharc
a steach go grinn gringealeach an gach cluid
de na rundhiamhuir so'

Fealsúnacht Aodha Mhic Dhomhnaill

BRÚDLANN THOMÁIS

(Fonótaí Míoleolais)

I

earc annamh éalaitheach
an críochán gur dual cónaí ar an gcúlráid dó i dtóin
na teiscinne abair
chomh dóidí le teampall
tibéadach abair
arae ní gallchleacht di loscántacht nó nós lonnaithe/
maireachtála ar bith
(foinsí iontaofa
á shuíomh cuirtear i gcás ar chearnóg ghealchathrach
i dteach síbín ar shleasa cúil chnoc an dearmaid
anallsanonnthallsabhuscáfios
nó tuige ríthábhacht ag roinnt le tiúchaint toite teas
tuathaltufógú fá iamh maille re comhshuíomh
mhars le streoillín ar dhóigh nach feas

scothbheathú dó brioscán bachall copógaí báite
creamh coille creamh na muc fia dathabha dubh
dathabha bán dathabha riabhach

ae abhna glúineach dhearg geagar gallán
liach róda lus buí mulfhard seagaire grád a dó

hocas milleriúgail magairle) bruite meidhreach sop
in áit na scuaibe teanga ghé lus na bhfranc mil na
ngabhar bainne na gcnumh fíon mhaitiú glóthach
éabha nimh dó

an hocas pocas an cogar mogar an gliogram gleorach
an lus nósach an talamhán slán an paraiméadar

pocléimeach an teanga liom leat an teanga an focal

liathchneas leabharleathair gráinneogaithe ag iomad
na dtua cloiche na sleá breochloiche na ngath
miléiseach na bpící stáin na lann rásúr de dhéantús
sheffield nach ligeann tríd duar sam bith seach
urchar óir as gunna airgid
an tsealgaire aonair
aonaránachas
ábhaluaigneas an tsealgaire bunchoinníoll a cheaptha
faoin

gcraiceann amhfheoil fhuilsúmhar ag ceilt chroífheoil
na heisfheola gealghlioscarnaí meandarmhairstiní a
imíos ina gal soip nuair a leagtar i bhfriotalán í

a alptar amh gan bhaiste dá réir meisce beannaithe
neamhghealtachas buile meabhair dhímheabhraithe
bás béidireach focal dífhoclaithe torthaí torthaí na
fleidhe

chan léir go dtig le bairille óir luas urchair óir a
fhuilstin: an méid seo
soiléir :b'anachain go nuige seo gach triall le
bairille luaidhe

II

infeireas amháin
is bunáit do mharthain an choimseacháin
agus b'údar dímheanman ag aos earnála riamh é nár
braitheadh oiread is ionadaí amháin de chuid an
chineáil

sain *(sic)* eolaithe easaontaithe leis na fuilchianta fada fiannacha faoi mhoirfeolaíocht sheachtrach na dúile an bhfuil sé bainteach leis na sluate mara pharrais nó thalamhe
an leagfadh a bhéal ar mhéis ghrán tonnóg c.i.gc nó da mbuinfadh basgaed air bith da nithe priomhodach mas ann doabh an mbeitheadh an corp imrid neamhthorreach amhuil nigh ar bith eile da mbuinfadh meithior do na ruta no an camhiesg feardha agus banda a phort tionscailte nó an monad geanmnaí

ar an bhFóidín

Mearbhaill 1073-1078 (17B) 1888 rozarko agus a chomhchealgairí ag maíomh go gcuireann a sheithe (

gainní miotalacha faoi bhun sleamhainsraithe de ramallae morgbhréan lánmhasmasach

)go fial rábach le seachtarchruth corrchnámhach an bheithígh niet sov agus a chomhghuaillithe go láidir den tuairim go mbíonn seang-ghrástúlacht fhéith an choimseacháin fá chomaoin mhór ag an gcorcairchlúmh bog cumhra údaí a mheabhródh na cait is airde costas do ma

idir linne dlúthchoinnigheam leis na baill aitheantais naput

ógaí ceithre bhalla a bhoilg chliúitigh m.sh. línithe ag páipéar bláthbhreac balla ag taisciú roighineasnachaí dúralúman dá ngairtear meafaracha cf fu wak 7 porrkki R8/3944-01-340 uimh thag uachais na cléibhe smearmhaisithe ag c.i.gc breughel granma moses scandathroscáin fa bhun chagall claonchrochta ar chrithghaetha bhizet driseachán de phóirsealán bándearg snoite léirchling scipéad a sceadamáin ar shlogadh dó dárluinn ná doirt seán péin nó fébi uisc coisric

gluaiseachtaí an

choimseacháin inbhraite go faon ar dhomhnach na

bputóg nuair a sháraíos meánteocht 100° F múranna sneachta ag leathnú aniar aneas duladh ar éigean bogluascadh corrstangadh geitstad ach cérb as agus
cá'il an triall idir-reannach seo
as bolg an choimseacháin
dheamhan éalú

III

ag so sios ainmnach na niasg a gabhthar fana cuantuidh

melebaruidh lamheiniud glasanuid goboguidh

liuoguidh soluibh moranuidh brasaruidh

is na lochaibh 7 na linnte farruisge

pearsuidh lusaidh giesain pollan

maille re alluraigh

baraiciuduidh readsnaparuid piaranachuid

leathoguidh gioblacha leathoguidh geancacha

mairtini gágacha

brionglóidí!
scáthanna sealadacha cluichí fánacha in íomhá is i ndeilbh an chuilig , an athair-éisc bhuain , níos cama-chuarta gan staonadh fud na ndoimhneachtaí duibheagánúla dothomhaiste idir maol na raithní agus mindanao
na hiasc-chruthanna i radharc go taibhseach tarrbhreac

i mbóchna chiúin shuaite A intinne

brilléis ! caidé fá dtaobh d'oll-leathóga ábhalmhóra an tsaoil imíos de thréanruathar sciathánaíochta sciotair láibe thar ghrean na mara le hais liamhán géarfhiaclach ag cur an tsáile ghrianghoirm díobhtha de ghathghluaiseacht seolta maorga sleánna a óinsigh!

teacht le chéile taobhanna comhthreomhara boird dhronuilleogaigh áirmhítear . na taobhanna céanna ar comhfhad ainneoin gur faide an taobh is neasa duit .beirt ghéaruileann beirt mhaoluileann sa léargas seo
fós fhéin paradacsa an choibhnis
bord dronuilleogach

sea go díreach a ghobailiú ach cuir do rosc ruaimneach anseo bord dronuilleogach
ach an cuilig—t'fhianaise?

Fianaise?
Á, a leathcheann go héag thú!
Cheal nach feasach duit an mian rúin

i gcroí an iascaire

IV

tráchtar an so sies ar bhall de shluatibh parruis avis gan aon agó. cleiteachaí gealdathacha gona miotaloinnir shaintréitheach mar fhianaise maille lena chaolghob miodóg dhiamantghéar ar cóimhiotal do-eoil ábhar a dhéanta a dtig leis ábhar eile ar bith a tholladh i bpreabadh na súl

leabharchruth slíochta bunchoinníoll a mhearimeachta
thobainn tarlú gan choinne

ach scoitheann an dúil dhomhínithe seo an claochlán
ár liathlíonta linnaeacha tuige

socheolaíocht

gnathnós an chlaochláin
an eitilt imirceach mhíthráthúil
d/soirbhchónaí sealadach i gcríocha andúchasacha
nach léir a mbeith do thuaisceartaigh
liomatáistí aoibhnis/uafáis cáfios
filleann sé i dtólamh ar an tsian
ar an bhfírinne shearbh
ar an mbréag

seachas go mbíonn

a sheachtarchomharthaí moirfeolaíochta athraithe ó
thalamh aníos aililiú
fad a mhuinéil c.i.gc bualadh a sciatháin
caoile a ghoib
taitneamhacht álainn suíomh a shléibhte
a cheol thar ní ar bith eile

int én bec ro léic feit
do rinn guip glanbuidi
ag raideadh grágshiollaí as garbhghob glasuaine
avis gan avrus

ach

cén chaoi a n-aithníonn muid an fánaí fillte mar
chlaochlán?

ar na súile.
iad gan chopógaí gan fabhraí gan imreasc gan inteachán

dár mallbhá i gceol do-inste

a linnte tine

V

cf 'Teicneolaíocht na Scartála 3731-9 (1974)

ar éigean is féidir a gcéadteacht a bhraith
corrfhocal ag pléascadh sa mbéal
blas neamhní an smuasaigh scaoilte ag leagan
cumhdach marbhleathair ar chlár na teanga
tobanntriomú imleabhair áin
carn bídeach deannaigh ar an urlár
brachlainn fuarallais ag fuarlíochán ó bhonn
go baithis

boladh taisligh
sna hurláir ab íochtaraí ach go háirid

téachtann an tráthnóna meandar inbhraite níos luaithe ná tá's
agat
cuirtear de bheagán le luas chasadh na cruinne
cruinníonn iaróga breaca slánlus sailchuach agus sop sealán
gionbhar ina theasúch
caipíní ar mhullaí shléibhte an lúnasa
tarraingt súiteáin éicint
tá siad tagtha i. na cearnamáin
i. na creimeacháin

spréann siad amach ar fud an tí gluaiseann trí adhmad
de roghain urláir frathacha ⁊rl gidh nach leasc leo
a bhfiacla a líomhadh ar abair eibhearchloch bricí moirtéal

macallaíonn an oíche lena
siosc seasc siosc siosc
seasc siosc siosc siosc
siosc siosc seasc siosc
siosc siosc siosc seasc
seasc seasc siosc siosc
treabh leat a shomhairle
ach go háirid na staighrí agus na hurláir
tarraingt súiteáin éicint
trá thaoille an rabharta

cluintear glotharbhruith a bhfola báine sna píobaí uisce tuigtear rud éicint agus téann rud eile ó thuiscint urú ar an ngréin poncaíocht chuí ar réalta siosc seasc doirse á n-oscailt doirse á ndruid ar fud an tí
ar údair nach feas
tuigtear
siosc seasc
siosc seasc
cuirtear teachtaireachtaí fraochmhara chuig na bailte fearainn is faide ó bhaile
fánach fánach
fánach
siosc seasc
scairt ar an dochtúir?
Ró-Mhall. tá an t-áiléar sroichte acu
filleann sú ar an bpréamh
seasc SEASC

Go tobann SEASC scread plúchta
brónfháscadh
siosma anama leis an gcorp

anuas:
maidhm ghrian chlimirteach an ghloine bhriste

VI

...an neach is áille gné i réimsí dochuimsithe an dúlra
grástúlacht a c(h)orplínte agus cuarlínte cló an
cheoladáin dhéghnéasaigh aireachtáil amaideach a
c(h)as-slaod fada glasuaine srólmhothú a m(h)ínchnis
bhuíchorcair a g(h)uth cláirsí ceo sofheichte na reann
bhénus gacha fir

adonis gacha mná

solas túise

thar a c(h)rioslach
buansprioc d'aos alptha an lótais
i rith na n-aoiseann
sé/í amháin i measc na Veirteabrach Uachtair
a bheathaítear ar mhil agus oighearleac

sé/í amháin i measc na Veirteabrach Uachtair
a chleachtaíos ilsuíomh

sé/í amháin i measc na Veirteabrach Uachtair atá gan
córas néarógach
gan snaidhm an droma
gan intinn

ó dheamhan oiread agus niúrón
faic na ngrást sna caolchloigne sárchumtha údan
a mbítear chomh dian sin sa tóir orthu ach
neamhní

fios fátha aon scéil
ag an gceoladán

VII

cmndrnnt. *f. pl. id. smt.* the omnipresent suspected animal; a 'weeping jay'; a despised green or orange confectionery of prodigious tackiness; a brightly coloured priest's suspender of east asiatic provenance (N.Y.); a submerged shoal or reef (Om); a 'clowpie' (Sc.)

dofhoghair . . . de bhíthin iomad na gconsan agus díth na ngutaí

glinnléiriú ar chomharthaí seoirt na bitheoige:
an gá le haisfhocal sofhoghair
nuair a fhéachtar le marthain na cmndrnnt a scagadh

(Gidh nach den chuíúlacht a leithéidí)

arae: do-earnála siocair
nach féidir cmndrnnt a fheiceáil
faoina sainghné féin

gluais: cmndrnnt=consanán. m.
deir daoine gur eallach é
deir daoine gur earc é
deir daoine gur cearnamán é
deir daoine neart
fanann an consanán ciúin
laistiar dá mbéarlagar

barr ar an tslacht ní fheictear é seachas trí shúile consanáin eile
líonann sé gach meandar múscailte
líonann gach meandar múscailte é

saol seadánach ag coimsiú na nglún doríofa
ag reic tá's agat ar mhaithe le
hóstachas cnámh agus teanga
scréach fuiltéachtach a éaga
is comhartha aitheantais dó

saolréim an chineáil a dhul i laghad le himeacht
aimsire (tionchar nietsov et al ...?) nó
tuige shrdlu shrdlu shrdlu an chonsanáin le clos
uallfairt uaiféalta chrúphlúchta ar aer na hoíche
cnámha ag scoilt
scamhóga ag pléascadh
féithleoga á dtolladh
faireoga á réabadh
chomh deabhtach minic sin
ar na saolta deireanacha seo.
comhsheinm an uafáis ach
tóg go bog é fan socair
níl lá philib chugat fós
ní saol gan chonsanán;
sé scéal a bháis
a athbhreith

GLUAISEANNA

do Chiarán Ó Coigligh

HÉALAN

Tráth a lorgaíos póg do bhéil
Roinn tú liomsa boige do bheola,
Bhain tú an ghoimh as ceas mo dháin
Le féile mhaoth na feola
Is mise ag cur i gcéill dom féineach
Nach mba eol dom branda Cháin
Bheith greanta go gránna feiceálach
Ar ghile sneachta d'éadain

DIOMAR

Níor ghlan riamh ór geal Fhéabais
Fiacha dorcha domlasta na céille
Is mhair an dealús i gcrioslach an éigis
Gur bhailigh an ghrian léi thar chab na híorach;
Ach nuair a shoilsigh reann,
Nuair a d'éirigh ré
Scaipeadh airgead sí ar chlár na mara
Nár cheannaigh fós neamh
Ná barántas Dé
Ná talamh dó ar maidin

ARDFHEIS

Deir a chroí leis
Gur deargéitheach an mana úd anois
A d'éiligh deachú fola
Tráth a lasadh dóiteán an ghaisce
Ar mhaolchnoc is ar shráid
Is gur nimh sa bhfeoil an focal
Nuair a mhaíonn gníomh a mhalairt;
Glanann croí an fheallaire
Fiacha bréana na feille . . .
Ach cuireann sé nath an niachais
Ar ais i mbéal na bréige;
Múchtar go grod an glór beag faon
Taobh thiar de ghobán na béice . . .

AN TÁSC

Chualadar cláirseoir
Ag seinm gan scáth
Ar urlár a n-ifrinn;
Nuair a d'fhigh sé an chamhaoir
Trí bhréidín a dháin
Bhriseadar a mhéara.
Ach, bíodh is nach ndeachaigh
Méar oilte ina ngaobhar
D'fhógair gach sreang
Rosc catha na gréine,
Dearóile ár linne
Is dóchas na daonnachta;
Stróiceadar aníos
Gach meirleach ón adhmad.
'*Viva muerte* ár roscna'
A mhaígh lucht an éirligh,
Ach nuair nár cheansaigh a gcinseal
Grianfhocal an éigis
Tharraing siad chucu
An súilín caol cnáibe
A ghiorródh le tréas
Is le treallús a dhánta.
Ach d'fhuadaigh lámh éigin
Clochchlaibín na huaimhe,
Nocht teacht na camhaoireach
Lomfhoilmhe na huaighe
Is an t-aingeal ceannann céanna
I gcluasa ag fógairt
Nach múchfar an chláirseach
Go Lá an Bhreithiúnais.

DÍTHREABH

San earrach cuirid corp tuí
Sa tobar;
Crochaid deideighe ar dhair na coille;
Munlaíd cré
I gcló an chrábhaidh;
Measaid gníomh
De réir spíd na gcomharsan . . .
Rí na Trócaire arbh fhéidir a shamhailt
Is É ag siúl go gáireata
I measc an phobail
Nuair is fada ó thriomaigh tobar is linn,
Ó thit dearcán abhus nó duille
Ar thalamh a fliuchadh
Le deoir?

AN BHFACA TÚ NÓ AR CHUALA TÚ

An bhfacais
Rian a choiscéime seisean
Scríofa
Ar bharr na linne?
An bhfacais
Rian fáinleoige
Ar ghorm na spéire breactha?
An briathar beannaithe
Ar chualais riamh
Taobh thiar d'aitheasc easpaig
No táilliúirín tirim
Sa mbruth faoi thír
Ag feadaíl
I mbéal an teaspaigh?

DO BHUA

Tráth a luas an focal 'farraige'
Chonaic tusa deora goirte na firmiminte
Á sileadh ag cnoc is gleann;
Nuair nach léir don tsúil ach múraíl aniar
Feicirse sciortaí liatha na gaoithe;
Ó, feicir lámha glasa an earraigh
Ag scaradh bhuí an tseagail
Is cloisir fia na fírinne, mo chreach,
Ag búiríl ar ard an éithigh
Nuair nach léir don chluas seo
Ach seanchrupach
I mbroinn na paidre ag géimneach . . .

SALÓMÉ

Bhí Salómé ag snámh aréir
Sa bhfuisce buí i mo ghloine;
Sciorr sí léi go luaineach réidh
Ó loime léir go loime.
Ach nuair b'iúd isteach
An dáileamh caoch,
Is cloigeann Eoin aige ar mhias,
D'aimsíos leithscéal i mo chré
A líon go barr mo ghloine.

AEAEA

Éirigh, uch éirigh, a liúiste,
Is cuir amach an lá!
Cá fhad, a chroí, ó chuala mé
An abairt úd á rá?
Ó bhíos abuil Circe
(Ar loingeas tirim sa gclochar)
Is muid araon go tréithlag faon
Inár dtráillí faoi mhaothghlas sámhais,
Ó cheil ár gcara Fuarchúis orainn
Gach tomhas, léarscáil is eochair?

TRÍ CHRÓ SNÁTHAIDE

Níor ghéilleas riamh dá ráite,
Dá impí ná dá ghríosú;
A ghrásta riamh ba spíd liom
Is mo mhaidí le sruth na maoine.
Ach ó lonnaigh an draoi úd Ganntan
Gan choinne i bpoll an iarta
Tá m'achainí mar anfa
Ag réabadh dhoras Chríosta.

FÁINNE FÍ

A chroíse atá líonta
Le sú aerach na fíniúna,
An súimín nár choigil tú riamh
A ghéaraigh faobhar mo dhúile.
Ach taiscir, mo léan, an rídheoch
I siléar láidir do chroí
Nuair a airír climirt na mian
I dtiachóg bhealaithe mo véarsa.

DRAIGHNEÁN DEALBH

An gá mar fhinné focal
Le teacht ar bhlas na meala;
An bhfanann bachlóg Earraigh
Ar ordú aos luibheolais
An réiteach dlí na marbh
Ar aon chor ná chás faoin ngealach;
An fál go haer don bhóithreoir, Grá,
An draighneán dealbh ina bhealach?

AOINE CHÉASTA

Tá loscadh i gcáil na tine úd
Ach níl cumas siúil ina dúchas;
Gluaiseacht gnás na gaoithe, arú,
Ach ní dual di cumas loiscthe.
Mura gcuirfí gaoth le tine, is léir,
Dóiteán ar bith ní shiúlfadh
Is mura gcuirfí corp i dteálta mo dháin
An gcluinfí a chling, Dé Domhnaigh?

AN IARMHAIRT

Duifean ag fás
Idir bé is file
Idir beach is bláth
Idir crann is duille

Cré ag filliúint ar chré
Gaois ar ghangaid
Dán ar phrós
Cion ar an aimride . . .

An iarmhairt bheo
I dtéalta siollóige;
Siúlfaidh bé eile fós
Cois Áth na Donóige.

AN GHAOTH

Nuair a scaoileamar
Snaidhm na sceimhle a
Nascann cré le nós
Thomhais muid eití cnáibe
Le hanfa fáin na díleann
Is brachlainn Ghades ní shásódh go brách
Díocas cíle ná rámha
Gur nocht do Aeaea romhainn sa ród
Is thit faoi chuing do dhála.
Do ghéaga mná, mo chreach is mo chás,
A lom isteach an scód,
Ceolta sí ar shreanga, feoil
Is fíon na sáimhe . . .
Ach ó thiontaigh treallús chun táimhe
Is áilleacht chun nimhe i m'fheoil
D'aithin an cion mar leithscéal
Is ghabh an ghaoth mo sheol.

SOLYPSO

I gcríocha cruaghramadaí
Ná cuirim cos i dtaca
Ach mar ar sheas Do chosa romham
Ar bhóthar nó ar bhealach!
Ach má dúirt tú liom sa díseart
Gur mar a chéile gach tuiseal
Nach ionann mo chos is Do chos-sa,
Nach ionann Tusa is mise?

DÁN DÍSEARTACH

Tráth a scairteas ort san oíche
Le dícheall is le dúthracht
As croílár ár ndileagra
An focal nár dúradh chualas . . .
Ach céard é féin an briathar úd –
Macalla mo ghuí . . . nó freagra?
An focal atá ag ceol i mo chluas
An liomsa é . . . nó leatsa?

CÚLFHÉACHAINT

Réab mo chiall
Teaghair is téad
Is ghluais de léim
Thar bhánta . . .
Ó, bhainfinn amach
Beag Árainn céin,
An réimeas
A gheall na dánta . . .
Ach spléachadh siar
Dá dtugas orm féin:
Chonac an mhise-bhrúid,
Mo léan,
Ag baint na sál díom.

COMHAIRLE

Seachain bé
An fhriotail réidh;
Séan an freagra a thig
Go pras;
Ná cuir aon bhréag,
Aon fhocal tréith,
Aon chailín Domhnaigh
Idir tú is tost!
Ach mura dtapóidh an
Chiúinbhean feasa do chuireadh
Fáisc faoi stuaire
An fhriotail réidh;
Ionann cruth
Is scéimh don dís;
Nach fada a bheas slat
Ag déanamh cré?

NUITS DE PARIS

'Ní tusa Niamh,
A stuaire nach séanfaidh cumann,
Ní Deirdre ná ní banríon tú,
Buime shéimh ná spéirbhean
Is *Nuits de Paris* níor chumhraigh riamh
Gleoiteog gheanmnaí m'éigse.'
'Tinteán tacair ná tréig, is má tá
Do gha don chomhraic gléasta
Ná séan aon dóiteán a dheargfadh sleá
Sa ngleann faoi bhun Chnoc Véineas.'

ANOIR

Is é Focal an fiagaí!
Is é Grá an fáiteall!
Ach blas ní mheasfad
De réir thomhas na súl!
(Níor ceapadh fós
Rún an fhíona i bprionta;
Is iad na breithiúna iomchuí
Béal agus Bolg . . .)
Mo chion ort feasta
Ná tomhais le m'fhocal,
Modh díreach mo dhóigh
Síol scaoilte gan chochall:
Gníomhaí nach mbacann
Le tuairim ná tátal,
Foclóir gan focail
Ar fhiagaí, ar fháiteall.

GRATIAS

Fíon Chios i mo rann ní luafad,
Fiodrince Bhacais ná iarann Fhéabais,
An poll gan ghrean faoi chroí an tsiolla,
Díochlaontaí balbha an éigin . . .
Ach molfad grásta seo Bhé na hÉigse
A chuir ceol á spreagadh i dteampall cré;
Molfad méara Mhelpomene na gciabh
Nár cheil dord umha ar ábhar éigis
Ná béal úd na meala nár dhúirt fós focal,
Nár dhúirt, nach n-abrann, nach ndéarfaidh . . .

CAIME

Níl caime i gcaime na craoibhe úd
Is í luiteach le snáithe na spéire,
Nó má tá caime i dtriall na habhann
Ní dhiúltaíonn an mhuir dá tabhartas . . .
Má tá snag i gcaint an fhile seo
Is é ag aithris i ndáil a Thiarna,
Bíodh caime ceoil a véarsa
InA chluas siúd mar dhán díreach!

SÚIL SIAR

An t-aingeal a nocht
An baothrud nár ligeas riamh le m'ais –
An ráfla rúin nár sceitheas inniu
Leat féineach–
Má ba é a chuir
Fearsaid an dáin i mo chnámh
An údar maíte dó anocht
Gur den abhras úd
Mo shnáth?

As 'ACHADH MHOIRÍN'

Do Shomhairle Mac Gill-Eain

'Laissez, laissez mon coeur s'enivrer d'un mensonge'

C. Baudelaire: SEMPER EADEM

III

GEALLADH AN FÍON DÚINN
        tráth na ngeamhar,
Luisne is glioscarnach
        na bhfíonchaor Shamhna,
Is síol mar ús
Le croitheadh san Earrach
In éadan talta bána . . .

XXV

SHNÍOMHADAR LE DÍOCAS
Snáth na tola
Shealbhaigh carraig
Is cuan máguaird
Chroith síol rábach
Ar loime an bhranair
D'ardaigh sconsaí
Bhain an barr
Is shníomh le dua
Snáth a n-allais
Nuair a shín an baineannach
Fúthu sa leaba
Shníomh le teaspach
Snáth na fola
Líon na tithe
Thóg iasc go barra
Thomhais a gceol
Le dord na mara
Gur chas faoi dheoidh
Súgán a bhfocal;
Ach tréigeadh cuan
Is tréigeadh carraig
Cré na cille
Ramhraigh is rathaigh
Is chonaic fiach dubh
Ar charraig thréigthe
Snáth na tola
I ngob na bréine
Snáth na fola
I mbéal mná rialta
Is snáth an allais
Ag slogaire otraithe

De státseirbhíseach
A dúirt: 'N'fheadar conas
A litreofaí san
De réir an Chaighdeáin?'

XII

AN LUS DO BHLÁTHAIGH
Ar mhachaire Théitis
Is a thaistil ar anfa
Go talamh Hespéiria
Ina bhréanfhás do sheargaigh
Faoi néalta Éireann.
An dóchas dá éis
Ba dhual do shíol Éibhir
A d'ardódh brat
In aghaidh na spéire,
An claíomh
A ghealódh
I mbéal na cinniúna
A chúngaigh chun dlí,
Chun seirfin,
Chun éigin;
Fíoch na fola,
Fothram na feola,
Tine na tola
Is rabhchán an choinn
Do thiontaigh
Ina ngeimhle
Ar each na gréine;
Rinneadh meadhg is gruth
Den fhocal –
Moirt gan rath
I mbéal an éigis.

V

MO BHRÓN AN TOST
Ar Achadh Mhoirín

Mo bhrón an t-aingeal úr
Gan teachtaireacht

Mo bhrón an chiúine
I gCeathrú an Mhóinín

Daidhce is dodam
In áit na rabairne

Is mo bhrón an duifean
I gcroí an lae ghil

Dochma is doicheall
In áit na reacaireachta

Bailbhe an bháis
Seach glor na dtréan

Biorgha an dóláis
Trí chroí na beatha

XXIX

CHROM AOGÁN BAOTH
Le fonn chun léime,
A mheabhair ina gealtghleann
Scátha is solais,
Péacadh an tsíl in áit na bréine,
Sonas ag fás
Faoi screamh an donais;
Ach nuair a scarfas crúcaí
Le himeall an Achaidh,
An poll gorm taobh thíos,
Poll gorm taobh thuas,
Pabhsae sa mbéal
Nó síol na gráine,
Cén focal nó foghar
A dhéanfas tarrtháil?
An é an siolla a spréach
Idir ord is inneoin
I dtriúcha reo Thor is Bhótain
Nó an dord a thuismigh
I Scythia na saighead
Is a thaistil ar bhéala
Abuil Mhic Bhreogain
Idir Muir na Spáinne
Is Carn Í Néid
A bhéarfas cruth
Dár gceadal tosta,
A ghreamós sciatháin óir
Dár gcosa?

XXXVII

'MÁ TÁ RÉ NA SUA
Le bheith feasta ar lár',
A mhaígh urlabhraí aicme
Na dadhaice,
'Tréig, a fhile, fuaruabhar do cheirde,
Fógair fán ar chlann, ar chneas;
Ar dhán do chroí
Níl ráchairt ná éileamh!
Samhail a bheirid inniu do do ghin:
A lomuaigh féin
Ag an bhfile á déanamh,
Gan leac na lodairne os a cionn
D'fhógródh scéal d'éinne . . .'
'Nuair a shiúlann mo dhánsa
Go huaibhreach trí mhargadh na saor
Chím Mór na Mumhan
I mo dháil ag téarnamh
Is mo thásc á bhuanú
Ar bhinnbhéal na sméar',
A dúirt an Rathailleach, éigeas.

XXXIV

I gCORCAIGH NA gCUAN
Scéal do chuala,
Téad ba bhinne
In Árainn na gcaolbhárc;
I nDuibhneacha théarnaigh
Spéirbhean i mo ghaobhar;
In oileán Scáthaí
Tháinig luail
Faoi m'aonsearc.

A lorg sise leanas
Trí chríocha Alban,
Trí Shacsaibh na séad,
Trí iatha Fháilbhe;
Grá fíochmhar folaigh
Chroí na hóige
D'fhág ciall ina tráill
Ag neach an dóchais.

Is ar chonair an dóchais
Bhí an tseilg gan faothú—
Trí chiardhubh na coille,
Trí aineol an chriathraigh:
Tochmharc gan trua,
Tuath gan taoiseach,
Feachtas gan fortacht,
Faolrith gan faoiseamh

Gur airigh dord eile
Faoi liath-thost na tuaithe
Is, a bhanríon na bréige,
A chailís mo chúige,
Nuair a fáisceadh cló eile
As an múnla cúng réabtha
Shearg lus cuideáin
I ngarraí na héigse.

I

ANAM SO DO GHOID UAIM –
Dúnghaois dearbh mo ghrá;
    Comháilleagán do chum:
    Spéirbhean mhánla do mhearaigh ciall.

Suirí rem chéadsearc ba leor,
(Mo chroí i bhfastó i mbéim a rosc)
    Im thráill anois ag dias ataoim,
    M'anam meabhlaithe ag dhá ghuth.

Ainnir shoidhealfa na gnúise aobhdha,
A craobh cha níonn m'iomlait,
    Ach áilleagán na dreiche coimthighe
    Nach den chruinne seo a port.

Tarrtháil anam' in aimhréidh dob fhéidir;
Re fuinneamh réabfaí slaoda cas',
    Ach sáinnithe ag dias ataoim,
    Nochan léir m'éaló as . . .

A héagosg ní fhidir mé,
Socht a riocht gion docht istigh,
    Asarlaíocht do fhéag m'intinn;
    Croínasc as gach anál do-níonn.

Comhraic aonair dob uras,
Sinne cothrom, gá dtám ris,
    Uaithi tagaim slán ar éigean;
    Fánach cath in éadan dís'?

XXXVI

Thar loime ár linne,
Thar chíréib ár gcréne,
Fuaimnigh do shiolla
Ar chruit gan téada,
Dáil orm oighearbhraon
As croí dubh do laoma,
Salann do chnáimhe
Is mil óir do bhléinte,
A chriostail na gcriostal,
A ealabhean mo mhéine!

Do ghlór trín láib lábúrtha
Ag fuaimint
An siolla a scaoilfeas
Snaidhm ár nduaircis;
Éitheach do dháin
Is scéimh do bhréige
A bhrostós rún an Achaidh
Chun saolaithe,

A spreagfas gliúrach
Faoi screamh an Achaidh,
Faoin gcarraig, faoin gcré,
Faoin bhfraoch, faoin aiteann—
Breo a adhanfas
Aibhleog na beatha
Faoin ngríosach ghlas
I gcuibhreann na marbh.

A chodlataigh álainn
In umha mo chláirsí,
Beir leat m'anam
Chuig tearmann do shóláis,
Cuir deireadh go brách
Le déirc is dóchas,
Le tocht mo dháin,
Le baois is brionglóid!

Líon bolg na gaoithe
Le reacaireacht Aeolais;
Bain gliogar as géaga
I gCoill Chnoc Gaoithe
A mhúchfas fachnaoid
Is feall na céille
Is liodán na léithe
I bhfotha an chrérud

Go gcuimseoidh croí slán
An fhoilmhe sa láine,
Bile agus duille
I gcoill na mianta,
Meafair na ciúine,
Meafair an rince,
Ailgéabar an choinn
San uimhir bhunúsach,
Gasán na meala
Sa bhfréamh fholúsach.

Ó, fógair do phoblacht
Gaoise is gréine;
Múnlaigh bruth
I gcruth do bhréige
Go sciúrfar dár bpár,
Dár bpór, dár bpianbhroid
Díblíocht na deighilte

Níos dall den radharcach,
Scéin an chime
I gcarcair a éigin.

Dá bhfeicfeadh muid Úna,
Dá bhfeicfeadh muid Aoibheall,
Dá bhfeicfeadh muid Clíona, Deirdre, Cíobán
Ag síorbhaint bharr na scéimhe
Dá chéile is
Tine gheal a ngáirí
Fite
Trínár gcailc-chré?

Ó, tógaimis
Gallán chun na gréine
Ar chimín coillte caol na Gaeilge—
Gallán ár méine gan scoilt,
Gan scáineadh,
Fís na haontachta,
Dealbh iomláine,
Is fillimis le dúthracht
Siollabadh ár siansa,
Sraith ar shraith,
Go dlúth ina thimpeall.

Marcshlua ar an ard
Faoin bhfuineadh gréine:
Cathlán an dáin
Faoi airm is éide . . .
Trí gháir ar chnoc,
Trí liú chaithréimeacha;
Meisce an mheandair
I mbéal an neamhní—
Dord danartha neamhbhásmhar
Na Féinne
I nGabhra goirt an áir . . .